D1096745

PRINCESAS DRAGÓN

Los hermanos Tormenta

Pedro Mañas

Ilustraciones de Luján Fernández

sm

LITERATURA**SM**•COM

Primera edición: febrero de 2018

Gerencia editorial: Gabriel Brandariz
Coordinación editorial: Paloma Muiña
Coordinación gráfica: Lara Peces y Marta Mesa

© del texto: Pedro Mañas, 2018
© de las ilustraciones: Luján Fernández, 2018
© Ediciones SM, 2018
  Impresores, 2
  Parque Empresarial Prado del Espino
  28660 Boadilla del Monte (Madrid)
  www.grupo-sm.com

ATENCIÓN AL CLIENTE
Tel.: 902 121 323 / 912 080 403
e-mail: clientes@grupo-sm.com

ISBN: 978-84-9107-311-6
Depósito legal: M-33814-2017
Impreso en la UE / *Printed in EU*

Para Paloma Jover,
que no teme salir de su castillo
en busca de nuevas aventuras.

¡Aquí estoy otra vez, por las barbas de Neptuno!

Huy, disculpa... Es que, de tanto navegar, se me está pegando el lenguaje marinero.

Y también parezco estar olvidando mis modales.

¡Capitana Nuna, a tu servicio!

Pues sí, resulta que ahora las Princesas Dragón somos dueñas y capitanas de un nuevo barco. Bueno, más bien éramos, porque...

Ay, a lo mejor no te estás enterando de nada.

Déjame que te hable primero de nuestra tripulación.

Somos tres princesas con poderes y un príncipe que se hicieron amigos por casualidad. Viajamos por los Cuatro Reinos con nuestros dos dragoncitos luchando por mantener la paz. Y, de paso, metiéndonos en líos.

En primer lugar está Bamba, la Princesa del Oeste. Escupe fuego por la boca y en medio minuto te asa una merluza.

Koko, la Princesa del Sur, es más fuerte que un pulpo gigante. E igual de cabezota.

Y yo vuelo como una gaviota sobre las olas.

También está el príncipe Rosko, que... bueno, que es majísimo.

Loro pirata no tenemos, pero está Gumi, el dragón blanco que nos otorgó poderes. Echándole imaginación, podría parecer un loro. Su hermano gemelo Migu se volvió multicolor a causa de un hechizo. Él me recuerda más a un papagayo.

Peludo, pero papagayo.

En cuanto a nuestro nuevo barco, fue un regalo del padre de Bamba, el Rey del Oeste.

Al comienzo de esta historia, estábamos todos en su castillo descansando tras nuestra última misión. Bueno, casi todos. La verdad es que al rey no le dejábamos descansar mucho.

Y es que cuando Bamba y Koko no estaban tirándose candelabros, los cachorros volcaban las armaduras o Rosko pintaba los tapices de colorines.

También estaban Ida y Kun, los ladronzuelos del bosque, que se entrenaban robándole al rey la corona y las zapatillas. Y así hasta que una noche desaparecieron... otra vez.

Huy, son como criaturas salvajes. No puedes enjaularlos en un castillo.

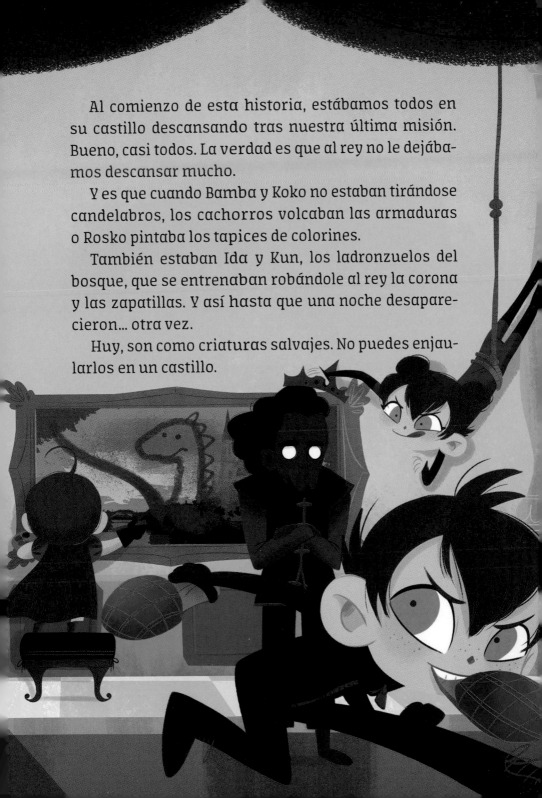

En cuanto a mí, solía ocultarme en la biblioteca para hacer lo que más me gusta, mi verdadero superpoder: ¡leer cientos de libros!

Lo que ocurre es que la realidad no es como los libros. ¡Resulta mucho más peligrosa!

Yo, por ejemplo, siempre había querido vivir un cuento de hadas.

Hasta que lo viví. Entonces se me pasaron las ganas.

En nuestro último libro, Bamba explicó cómo nos enfrentamos a unas hadas que, en vez de lanzarnos polvos mágicos, querían lanzarnos por la borda.

Menos mal que todo terminó bien.

Hasta nos enteramos de que los padres de Rosko, a los que todos creían muertos, seguían vivos y prisioneros en algún lugar del mar.

¡Y ahora debíamos rescatarlos, por mil millones de langostinos!

El puerto del Oeste parecía un hormiguero.

Las hormigas, claro, éramos nosotras. Con corona en vez de antenas, pero hormigas. Y de esas rojas que pican.

–¿Más libritos? –me picó Koko al verme subir al barco siete diccionarios.

–¿Más armitas? –la piqué yo cuando la vi arrastrando una maza de acero por cubierta. O sea, una bola con pinchos atada a un palo y más grande que su cabeza. E igual de dura.

El padre de Bamba, que es formidable, había hecho cargar la bodega con un montón de cosas ricas para el viaje. Además, nos había advertido que lleváramos solo lo imprescindible. Si lo cargábamos demasiado, convertiríamos el barco en un submarino.

También nos dio permiso para coger del castillo lo que necesitásemos. Yo había vaciado media biblioteca y Koko había dejado las armaduras en paños menores.

–¿Y si nos ataca un tiburón? –gruñó Koko–. ¡Las armas son imprescindibles!

–¡Los diccionarios también! –protesté–. ¿Y si no sabes si «tiburón» va con be o con uve?

Gumi se puso de mi parte y se hizo pis sobre la bola con pinchos, pero Migu apoyó a Koko y, ¡chof, chof!, dos de mis libros cayeron al mar como medusas de papel.

–¡Ya vale! –ordenó Bamba, abriéndose paso–. ¡A este paso, no saldremos nunca!

Ella, más que una hormiga, parecía una avispa furiosa. Aún le dolía la traición de los bandidos. Por si no lo sabes, está coladita por Kun.

El último en subir a bordo fue Rosko, que estaba mustio como una lombriz.

En su equipaje solo llevaba ropa, sus pinturas y una vieja botella de cristal. La misma que habían traído las olas con un mensaje de su madre:

¡Socorro!
¡Nos tienen prisioneros
en medio del mar!
No sabemos dónde nos encontramos,
pero llaman a este lugar
"el centro exacto del océano".
¡Deprisa, por favor!

Allí nos dirigíamos: al centro del océano.
Aquello iba a ser como buscar una aguja en un pajar.
O, peor, una burbuja en el mar.

3

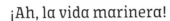

¡Ah, la vida marinera!

El aire puro, los paisajes, la tranquilidad...

Bueno, lo que es tranquilidad, en nuestro barco duró unos diez minutos.

Estaba yo acodada en la proa, mostrando a los dragoncitos el sereno mar del Oeste.

De repente, oí la voz de Bamba a mi espalda:

–El galeón es un regalo de mi padre –soltó–, así que me pido ser capitana.

–¿Ah, sí? –rio Koko–. Y si yo no te dejo, ¿qué harás?

–Prender las velas de un fogonazo y convertir el barco en un pastel de cumpleaños.

A veces no se sabe si la princesa rosa habla en broma o en serio. Pero aceptamos que fuera la capitana, por si las moscas. O por si las gambas, como decimos en el mar.

Antes que nada, Bamba quería componer un himno que acobardase a nuestros enemigos.

Así que, una vez tuvo el mando, se empeñó en hacernos ensayar a voz en grito y a pleno sol toda la mañana.

–¡Princesas Dragón! –berreaba–. ¡Listas como anguilas, fuertes cual salmón!

Al oírla, las gaviotas que planeaban sobre el barco salieron disparadas hacia estribor. Por babor, una bandada de peces voladores huyó brincando entre las olas.

Total, que a mediodía la princesa negra empezó el primer motín.

O sea, que se rebeló contra la capitana.

–Dejadme mandar a mí –gruñó–, o de un puñetazo pongo el barco del revés.

–Bueno –accedimos entonces, porque Koko nunca bromea.

La Princesa del Sur manejaba con destreza el timón. Lo malo era que se lo tomaba demasiado en serio y, al mínimo descuido, pretendía echarnos a los tiburones.

Menos mal que por allí solo había salmonetes.

–¡Príncipe al agua! –voceaba, y empujaba a Rosko al mar porque había tensado mal las cuerdas. Luego, claro, lo perdonaba y se tiraba a rescatarlo.

Yo creo que solo lo hacía para demostrarnos que había aprendido a nadar.

¡Jo, pero luego era yo la que tenía que bajar volando a recogerlos!

Al atardecer, y bastante harta de rescates, empecé el segundo motín. Muy educadamente, eso sí.

–Dejadme probar a mí a ser capitana –pedí, y añadí, para acabar de convencerlos–: O me vuelvo volando a tierra firme.

Accedieron con la condición de hacer una fiesta para celebrar la primera noche a bordo.

–Bueno –dije–, pero hay que cantar bajito para no despertar a los peces. Tampoco podéis manchar de zumo la cubierta. A las nueve, todo el mundo a dormir. Y tenéis que...

Entonces me montaron el tercer motín.

–¡Vale, todas seremos capitanas! –chillé cuando Koko quiso meterme en un barril.

Capitanas, loros, grumetes... Todos dormimos hasta tarde después de la fiesta.

Por desgracia, tampoco esta vez duró mucho la paz a bordo.

–¡Arriba los pies, señorita! –me despertó una voz–. ¡Estamos abordando su *flotagrande*!

–Un ratito más, papá –farfullé, creyéndome en mi palacio–. Aún no... ¡Ah!

Tres niños de lo más extraño me tenían rodeada.

Vestían una grotesca armadura de juncos y cortezas y blandían lanzas de bambú. Sus cascos eran en realidad... ¿caparazones de tortuga?

Casi despego del susto.

–Eh, ¿quiénes son estos filibusteros? –preguntó Bamba, levantándose de un brinco.

–Somos piratas *robamucho* de la isla Tartaruga –afirmó uno–. ¡Viva Tartaruga!

–¡¡Viva!! –contestaron al momento los otros, dando saltos.

A causa del escándalo, el resto de mis amigos abrieron los ojos.

–¿Ya estáis peleando otra vez? –se desperezó Rosko.

–Qué va –dijo Bamba–. Son estos fantoches, que dicen que nos están abordando.

–¡Ni *fantochos* ni *fansietes*! –repuso otra–. ¡Somos tartarugos! ¡Viva Tartaruga!

–¡¡Viva!!

Fue entonces cuando Koko, medio dormida y todo, se adelantó para tomar el mando.

–A ver, tarugos, o lo que sea –bostezó–. ¿Cómo habéis llegado aquí?

Los tres extraños personajes giraron sobre sí mismos y desfilaron como soldados hasta la proa del galeón. Luego señalaron hacia las olas.

Allí, amarrados al barco y balanceando grácilmente la cabeza, nadaban tres caballitos de mar. O más bien caballazos, porque eran... ¡gigantes! Más grandes que una persona. Llevaban riendas y sillas de montar. Eran preciosísimos.

–¡Sois unos *hablamucho*, prisioneros! –voceó el tercero–. ¡Levantad el *ganchohierro*!

–Somos más y más fuertes –saltó Koko–. ¿Qué os hace pensar que podéis apresarnos?

–¡Pues porque lo manda la Dama Verde! –contestaron.

–Perdón –dije–, ¿qué dama es esa?

–Es la *mandatodo* y *todosabe* de Tartaruga –explicó la chica, y luego señaló a un punto distante–. Allá lejos, en lo más profundo del mar. ¡Viva Tartaruga!

–Vi-viva –murmuró Rosko, sorprendiéndonos a todas–. Capitanas, no podemos oponernos a los deseos de la Dama Verde. Somos sus prisioneros.

Luego nos guiñó un ojo con disimulo.

La princesa negra estaba furiosa con el príncipe.

–¡A ti el sol te ha vuelto loco! –gritó–. ¡Mira lo que has hecho!

Tras rendirnos, los críos habían saltado a sus cabalgaduras y las habían espoleado. Ahora el barco avanzaba pesadamente, arrastrado por los caballazos de mar.

¡Pretendían remolcarnos hasta su reino!

–Tranquilos –dije a mis amigos–. Basta con cortar las cuerdas y esos tres no vuelven a vernos jamás. ¿A que es ese tu plan, Rosko?

–¡No! –protestó el príncipe–. ¡Es que no me dejáis explicarlo!

–Habla –dijo Bamba, cruzándose de brazos.

–¿No los habéis oído? –preguntó Rosko–. Van a guiarnos a lo más profundo del mar. ¡Esa dama *todosabe* tal vez sepa dónde está el centro del océano!

Y, de pronto, comprendimos. Y nos quedamos en silencio.

—Cuernos —gruñó al fin Koko, fastidiada—, no está mal el plan...

—¡Santo Jabalí, claro! —sonrió Bamba, tumbándose sobre cubierta—. ¡Solo hay que relajarse y dejar que nos remolquen!

—Espera —le interrumpí, señalando al cielo—. No te relajes tanto.

No muy lejos de nosotros, un montón de nubarrones anunciaban tormenta.

—Tranquilas —dijo Rosko, comprobando la dirección del viento—. Van hacia el otro lado.

Pues apenas hubo dicho aquello, sucedió algo increíble: las nubes se dieron la vuelta, como si le hubieran escuchado.

—¡Eh, tarugos! —gritó Bamba, intentando llamar la atención de nuestros secuestradores. Pero sus palabras se perdieron en el ruido del mar.

Levanté la vista. Ahora la tempestad se acercaba a toda máquina.

¡Era como si nos persiguiera!

El mar comenzó a encresparse y cayeron las primeras gotas de lluvia.

—¡Agarraos! —ordenó Koko cuando el barco empezó a sacudirse.

La luz azul de un relámpago rasgó el cielo.

Para cuando estalló su hermano el trueno, la histeria ya se había apoderado del barco.

UN RELÁMPAGO MISTERIOSO

ENSEGUIDA, LAS OLAS EMPEZARON A HACER ZOZOBRAR EL GALEÓN.

DE PRONTO, UN RAYO PARTIÓ EL PALO MAYOR Y LA VELA NOS CAYÓ ENCIMA.

AL MISMO TIEMPO, UNA RÁFAGA DE VIENTO ARRASTRÓ A MIGU.

¡AY, NO HABÍA TIEMPO QUE PERDER!

Y, APENAS AGARRÉ AL DRAGÓN, UN RELÁMPAGO... NOS ATRAPÓ.

¡INTENTABA ARRASTRARNOS HACIA LA TORMENTA!

CAÍMOS AL AGUA, PERO AL MENOS ESTÁBAMOS A SALVO.

¿TODOS? ¡NO!

La tormenta se alejaba, pero la situación no había mejorado mucho.

¡Habíamos perdido un dragón y estábamos a punto de ahogarnos!

Además, la tempestad había descalabrado el barco, que, medio destrozado, se alejaba flotando a la deriva.

—¡Princesa en peligro! —chillé, pataleando—. ¿Alguien me oye?

—¡Yo! ¡Agárrate aquí! —gritó Rosko, que, como un jinete, cabalgaba un gran tablón sobre las olas—. ¡Y allí viene Bamba con Gumi!

—¡Ya llegamos! —gritó ella, que por suerte es buena nadadora—. ¡¿Y Koko?!

De pronto, una rabiosa criatura negra emergió frente a mis ojos.

–¡Cuernos! –masculló el monstruo, sacudiéndose el agua de sus cuatro tentáculos.

Que, de pronto, me parecieron trenzas.

Era la princesa negra tratando de librarse del amasijo de algas en el que había quedado enredada.

–¿Qué era eso? –preguntó Rosko–. ¿Adónde se han llevado a Migu?

Nos aferramos al tablón y levantamos la vista hacia arriba.

Nada. El cielo volvía a estar limpio como un lienzo azul.

–¡Es inútil que lo busquéis! –aulló alguien a mi lado–. ¡El Rey Tormenta se ha ido!

¡Duendes! Casi había olvidado a los piratas. Sus corceles habían escapado, pero ellos se mantenían a flote gracias a sus ligeras armaduras. Mucha valentía y mu-

cho «Viva Tartaruga», pero ahora bien que se agarraban a nuestra tabla como si fuera suya.

—¿Qui-quién es el Rey Tormenta? —pregunté.

—¡El peor enemigo de la Dama! —explicó un tartarugo—. ¡Solo ella podría sacarnos de esta!

—¿Y cómo la avisamos? —Bamba escupió una sardina—. ¿Por paloma mensajera?

—¡No podemos avisarla! ¡Vamos a morir todos! ¡Ay, moriremos por Tartaruga!

—¡Vi-viva Tartaruga! —gorgotearon los otros mientras una ola rompía en sus narices.

—¡Y un cuerno! —gritó Koko.

—¡Y dos colmillos de jabalí! —añadió Bamba.

—¡Y tres duendes! —chillé yo, con un hilillo de voz, eso sí. No podía dejar de pensar en el cachorro raptado.

Pero había que reponerse. De otras peores habíamos salido.

Luego miré al barco que se alejaba y comprendí que tenían razón: íbamos a morir todos.

Ni siquiera yo tenía energía para salir volando y salvarme. Y tampoco pensaba hacerlo sin mis amigos. Con mis últimas fuerzas, me agarré al tablón medio podrido.

Y entonces, de pronto, una flecha inesperada se clavó encima.

Traía una nota en su punta. Con una horrible ortografía, pero magníficas noticias.

La flecha tenía atada una cuerda.

Una cuerda con la que alguien comenzó a arrastrar-nos entre las olas.

¡Nos remolcaban hacia los restos de nuestro galeón! ¿Cómo era posible?

–¡Parece cosa de magia! –opinó Bamba, fascinada por el misterioso rescate.

–Mira quiénes son tus magos –repuso Rosko, agu-zando la vista.

En efecto, desde la borda nos contemplaban dos ca-ras conocidas. Muy conocidas.

¡Los hermanos Ida y Kun, los bandoleros del bosque!

–Subid –voceó Ida desde lo alto–. Los que no vuelen, que trepen por la cuerda.

–Anda –comentó Kun–, ¿habéis cambiado un dragón por tres tortugos?

Típico de ellos. Aparecen por sorpresa en medio del océano y te hablan como si te los hubieras encontrado en la panadería. ¡Hasta se pusieron a hacer mimos a Gumi!

–¿Se puede saber qué hacéis aquí? –gruñó Koko, escurriéndose las trenzas.

–Pues, de momento, esperar a que nos deis las gracias.

–¿Las gracias? –protesté yo–. ¡Podríais habernos matado con esa flecha!

–¿Estás de broma? –preguntó Ida, besando su arco–. Este amigo mío no falla nunca.

–Dejaos de tonterías y explicaos –dijo Bamba, tratando de mostrarse seria.

La miré. Estaba tan furiosa como feliz. No podía ocultar su alegría por ver a Kun.

–Veréis –sonrió él–. Hace un par de noches, estábamos merodeando por el puerto y vimos este barco tan lujoso. Entonces nos colamos a... a echar un vistacito en la bodega.

–O sea, a robar –escupió Koko–. ¡O a cenar gratis!

–Un poco de todo –admitió Kun–. El caso es que nos entretuvimos y la cena se convirtió en desayuno. De pronto, el barco se puso en movimiento...

–... y tuvimos que quedarnos –gruñó Ida–. Pero no sabíamos que era vuestro.

Entonces Kun bajó la vista. ¡Se había puesto colorado! Tal vez él sí sabía que el galeón nos pertenecía. ¿Había sido todo una treta suya para seguir a Bamba?

–En fin, vamos a lo importante –carraspeó la princesa rosa–. ¿Qué vamos a hacer? Sin velas, sin remos, sin Migu... y cargando con tres piratas de pacotilla.

Los tartarugos nos miraban, mudos y temblorosos, desde un rincón.

–Tranquilos –Koko soltó un escupitajo al mar–. Si ellos pudieron remolcarnos con esos caballos tan cursis, yo también puedo. ¡Y a cambio, nos guiarán hasta Tartaruga!

Sin una palabra más, desenrolló una madeja de cuerda que aún quedaba sobre cubierta. Luego la ató a la proa, se lanzó al mar de cabeza y empezó a bracear como una hélice para remolcar el barco.

–¡Princesas Dragón! –gritaba Bamba, propulsando el barco a llamaradas desde la popa.

–¡Van a propulsión! –respondíamos.

Siguiendo las indicaciones de los piratas, antes del mediodía desembarcamos en Tartaruga.

Bueno, no quiero mentirte: ¡nos estrellamos contra Tartaruga!

El casco del barco se desgajó estrepitosamente al chocar con la isla y se fue a pique.

Y es que Tartaruga era una isla, sí, pero una isla rarísima.

Era muy dura y redondeada, como un cuenco de barro gigante vuelto del revés. No tenía playas ni palmeras. Su superficie estaba cubierta de musgo resbaladizo y de unas pocas setas.

Eso sí, las setas eran más grandes que mi corona.

Extraños pájaros azulados sobrevolaban el lugar.

–¡En marcha! –dijeron los tartarugos, recuperando su aire de soldados.

Seguimos cuesta arriba a la pequeña tropa entre un montón de cabañas de juncos.

De ellas salían niños parecidos que se nos acercaban con curiosidad.

–¡Prisioneros! –canturrearon, blandiendo lanzas de bambú.

–¡Quietos! –aclararon nuestros secuestradores–. Nos han salvado. ¡Ahora son héroes!

–¿Héroes? –todos callaron un instante–. ¡Héroes! ¡Regalos para los héroes!

No tardaron en volver. Traían rodando frutos negros y enormes como balas de cañón.

–¡*Frutoscuros* de la región! –dijeron, ofreciéndonoslos–. ¡*Delidulces* y *fantajugosos*!

—¡Duendes, si son sandías! –sonreí–. Gracias, pero no puedo comerme una sandía entera.

—No son sandías –repuso Bamba, que fue la primera en probarlas–. ¡Son... son uvas!

—Venga ya –dijo Kun, pegando un mordisco sin acabar de creérselo–. Si las uvas son de este tamaño, ¿cómo serán los insectos que se las coman?

Entonces Koko, con la boca llena, le dio un codazo y señaló hacia uno de los pájaros azulados que se habían posado a curiosear los restos de nuestro banquete.

Y que no era un pájaro en realidad, sino... ¡una monstruosa y peluda libélula!

Era como mirarla al microscopio, pero sin microscopio. Terrorífico.

Caballitos de mar, setas, insectos, frutas... ¡Todo era gigante alrededor de Tartaruga!

Y también mi miedo empezaba a crecer por momentos.

–Ahora os llevaré ante la Dama Verde –sonrió uno de los piratas, quitándose el casco y dejando ver su pelo negro y muy rizado–. Recordad que debéis llamarla «alteza».

–¿Y tú cómo te llamas? –preguntó Kun.

–Los soldados tartarugos no tenemos nombre –explicó él, confundido–. ¡Adelante!

Allí estaba ella, de espaldas a nosotros y frente al océano.

La Dama Verde, soberana de Tartaruga.

Su larga melena estaba recogida en cientos de trencitas apelmazadas con tierra y musgo.

Sus manos sucias sujetaban dos gruesas cuerdas que se hundían en el mar.

¿Acaso estaba pescando?

Nuestro pequeño guía le informó rápidamente de lo sucedido.

–¡Hazte cargo de esto! –rugió ella, entregándole las cuerdas y volviéndose–. ¡Salud, extranjeros! ¡Gracias por rescatar a mis súbditos!

La Dama, que llevaba la cara decorada con garabatos de barro, se arrodilló ante nosotros.

–Eh... –dije yo–. Encantadísimos de conocerla, alteza.

Luego hice una primorosa reverencia.

Tenía la voz ronca y fuerte de un lobo de mar, pero parecía simpática.

Entre todos le contamos a trompicones nuestra aventura. Le hablamos de nuestro viaje, del mensaje desde el centro del océano, del ataque de sus piratas, de la tempestad...

Lo que más le interesó fue el episodio de Migu y el relámpago.

—¿Es este el hermano del dragón raptado? —preguntó señalando a Gumi. Yo asentí.

—Ludo querrá robarlo también —aseguró—. Recuerda que no debes dejarlo solo.

—¿Ludo es... el rey? —pregunté—. ¿Y desde dónde maneja la tormenta?

—¿Desde dónde? —se sorprendió ella—. ¡Él vive sobre la tormenta!

—¡¿Sobre esas nubes grises que nos persiguieron?! —preguntó Bamba.

—Grises, negras, rosas... Depende del humor que tenga.

—¿Y nunca son rosadas? —murmuró Ida, alzando su arco hacia el cielo.

Silenciosamente, un gran montón de nubes como algodón de azúcar habían venido a posarse sobre el cielo de Tartaruga. Parecían la mar de inocentes.

Pues la Dama, al verlas, quiso volverse loca.

—¡¡Aquí está otra vez!! —chilló al niño sin nombre—. ¿A qué esperas? ¡Acelera!

Entonces el crío tiró con todas sus fuerzas de las cuerdas. Mejor dicho, de las riendas.

Y una enorme cabezota se asomó perezosamente por encima del mar.

¡Toda la isla no era sino una tortuga gigante!

Ya solo su cabeza era tan grande como una ballena. Como una ballena arrugadísima.

—¡Vamos, Tartaruga! —grito el niño—. ¡Nos persiguen!

La tortuga chasqueó su gran lengua con fastidio, pero aceleró el paso.

Mientras, las nubes iban oscureciéndose: primero, morado claro; luego, morado oscuro, y al final, casi negro...

—¿Van a atacarnos? —jadeó Ida, tensando el arco.

—¡Ahorra tus flechas! —gritó la Dama—. No te servirán de nada contra el rey.

—¿Y qué hacemos? ¡Va a enviarnos otra tempestad!

—Hay que despistarlo —contestó ella, arrebatándole las riendas al pequeño tartarugo—. ¡Corre a dar la alarma! ¡Extranjeros, agarraos donde podáis!

Sin saber muy bien por qué, nos arrodillamos y nos aferramos al musgo que cubría Tartaruga. Una fina lluvia había comenzado a descargar sobre nosotros.

–¡Coged aire! –la Dama sacudió las riendas–. ¡Inmersión!

Con un profundo quejido, la gran Tartaruga empezó a hundirse en el mar.

Alarmados, todos se encogieron, tomaron aire y apretaron los ojos.

Todos menos yo.

Yo, que apenas sé bucear, me solté y salí volando sin pensarlo, seguida de Gumi. Los dragones también se sienten más a salvo por el cielo que bajo el mar.

Y a salvo nos sentíamos hasta que el viento comenzó a soplar.

No soplaba hacia el norte ni hacia el sur, ni hacia el este ni hacia el oeste.

¡Soplaba hacia arriba! O sea, que aspiraba, que de algo me sirven los diccionarios.

Sin poder evitarlo, el cachorro se elevó unos metros hacia las nubes. El pobrecito berreaba como un gato en una bañera.

Entre los silbidos del viento me pareció oír, como un eco, el consejo de la Dama:

«¡No debes dejarlo solo!».

–¡Aguanta, Gumi! –chillé.

Avancé hacia él y alargué los brazos hasta rozarle la cola...

Y justo cuando iba a cogerle, la tempestad lo arrastró con ella.

¡Ya era el segundo dragón que nos robaba!

–¡Haga algo inmediatamente, alteza! ¡Deprisa, alteza!

Tartaruga había vuelto a la superficie y mis amigos se escurrían la ropa sin quitarme ojo de encima. Nunca antes me habían visto tan mandona.

–Calma, amiga, y siéntate –dijo la Dama mientras trataba de encender una hoguera–. Antes debéis conocer la historia del rey.

Me senté, pero estaba tan inquieta y empapada que me temblaba hasta la corona.

–Hace tiempo –comenzó–, Ludo Tormenta y su hermana gobernaban el Reino de las Nubes. Sus dominios se extendían de costa a costa, por todo el cielo que cubre el mar.

–¿Y podían controlar el clima a su antojo? –preguntó Bamba–. O sea… lo de lanzar tormentas y todo eso…

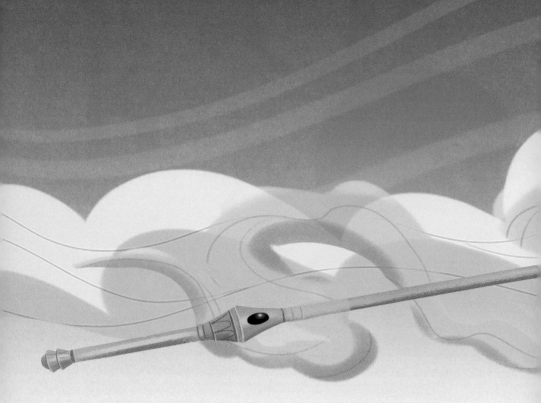

–Exacto. Con ayuda de un cetro mágico que habían heredado de sus padres.

–¿Mágico? –repetí, apagando sin querer la llamita que la Dama había logrado encender.

–Sí –suspiró ella–. Un cetro con plumas de cada una de las aves del mundo. Esas plumas y esas aves son las que le otorgan su poder.

Restregó durante un buen rato dos palitos sin lograr nada y luego continuó:

–Pero Ludo era ambicioso, y pensaba que el cetro debía ser aún más poderoso

–Y para eso necesitaba nuevas aves y nuevas plumas –dedujo Kun.

–No solo eso –dijo la Dama–. Buscaba cualquier criatura que volase.

–¡¿Cualquiera?!

–Dragones, pegasos... ¡Hasta llegó a arrancarle un ala a un pobre niño hada!

Todos nos miramos con horror pensando en Ongo, el pequeño chico hada que habíamos conocido en nuestra anterior aventura.

–Bueno –se impacientó Koko–. ¿Y nadie le cantó las cuarenta al rey?

–Sí –dijo la Dama–. Hubo algunos niños que, cansados de su crueldad, se rebelaron contra él... con ayuda de su hermana. Pero fracasaron y fueron desterrados de las nubes.

Yo tragué saliva.

–Entonces, para eso quiere el rey a nuestros dragones...

–Así es.

–¡Tenemos que llegar hasta él para rescatarlos! –decidí.

–Sí –asintió la Dama–. Y para algo más.

–¿Para qué? –preguntó la princesa rosa.

–Ludo es el único que podría guiaros al centro exacto del océano.

–Atiza –dijo Bamba, y de la impresión escupió una llamarada que prendió al fin la hoguera.

Atardecía tras el caparazón de Tartaruga, y la Dama Verde nos había mandado a dormir.

¿Pero cómo iba a dormir yo sin mis cachorritos?

–Hay que subir ahí arriba –repetía Rosko, pintarrajeando sobre el gran caparazón.

–Vale –repetía Koko–. ¿Pero cómo? Ni siquiera la Dama lo sabe.

–Si al menos pudiéramos trepar a alguna parte para convertirnos en dragón… –musité.

Miramos alrededor. Aparte del musgo y las setas, todo lo que se veía era alguna libélula gigante que, aprovechando la calma en la isla, se posaba a descansar.

Entonces, a la princesa rosa se le iluminó la cara.

–¡Eh, bandidos! –exclamó–. Vosotros domasteis a los zorros y lechuzas del bosque. ¿Creéis que se podría hacer lo mismo con un insecto?

Ida y Kun se volvieron hacia las libélulas... y se encogieron de hombros.

—Sería cosa de probar —dudó Kun—. Y de aprender a actuar como esos bichos.

De inmediato, Bamba se puso a correr en círculos y a menear los brazos a toda mecha.

Las libélulas la miraron y se alejaron zumbando, poco interesadas.

—No seas mema —la regañó Ida—. Hay que atraerla con su propio sonido...

¡Ya, pero ninguno sabíamos imitar aquel zumbido entrecortado!

Bamba sonaba como una avispa. Ida y Kun, como moscas. Yo, como una mariposa.

Seguimos probando hasta que, por fin, la libélula se interesó por uno de nosotros.

¡Por Koko!

Pues, en cuanto la vio acercarse, la muy valiente pegó un grito y echó a correr.

Caray, tenía miedo de un bichito. De un bichito de dos metros, eso sí.

—¡Dejádmela a mí! —aulló Rosko de repente.

Corrió hacia ella y, ¡boing!, de un salto fue a caer sobre su cuerpo peludo.

El bicho arqueó su lomo para liberarse, pero él le enrolló el cinturón en torno al cuello. Tiró de las riendas y... ¡zum, despegaron!

No era igual que domar un caballo, pero se le daba bien. Es un gran jinete.

Tras varias piruetas en el aire aterrizó, muy orgu-
lloso.

Ahora solo nos falta que alguien nos guíe hasta el
Reino de las Nubes –aplaudió Bamba.

–Pues ahí lo tenemos –dijo Kun mirando al cielo estrellado.

Una bolita peluda de colores venía volando hacia
nosotros.

–¡Migu ha logrado escapar! –chillé muy contenta.

Y luego me fije en que llevaba una nota prendida al
cuello.

«Mi hermano espera arriba», decía el papelujo.

–Es del rey –opinó la Dama cuando la despertamos–. Os está retando.

–Ya le enseñaré yo a retarnos –escupió Koko.

A nuestro alrededor, los tartarugos bostezaban bajo las estrellas. Seguramente se preguntaban por qué la Dama los mandaba llamar a aquellas horas.

–¡Ayudad a estos extranjeros a cazar libélulas! –ordenó–. Deben llegar arriba antes de que amanezca para coger por sorpresa al rey. ¡Al gran enemigo de Tartaruga!

Y, viendo que nadie decía nada, los miró severamente.

–Vi-viva Targatu... Tartaruga –rezongaron.

¡Huy, el problema era que los bichos ya no se dejaban coger tan fácilmente!

Al fin, tras muchos esfuerzos, conseguimos amarrar a cinco que parecían bastante dóciles. Con eso bastaría, puesto que yo no necesito montura para volar.

Agotados, los soldados se sentaron a comer algunos de sus gigantescos frutos.

Fue entonces cuando ocurrió una catástrofe.

Y es que otro bicho enorme acudió al olor de la fruta. Y no era una pacífica libélula.

¡Era una avispa del tamaño de un jabalí! Y reque-tespantosa.

Horrorizados, los tartarugos se desperdigaron por la isla.

—¡Una *picamucho*! ¡Mirad su *pinchogordo*! ¡*Aucorro*! ¡*Soquilio*!

Lo peor fue que, asustada por los gritos, una de las libélulas logró desatarse y escapó volando hacia las alturas.

–¡No! –gimió Rosko–. ¡Ahora no llegaremos antes de que amanezca!

Pero entonces, también Bamba sacó su aguijón.

–Si Koko no fuera una cobarde, podría cabalgar a la avispa –murmuró.

La princesa negra, claro, se dejó picar.

–¿Cobarde yo? –bramó–. ¡Ahora veréis!

Sin pensarlo, tomó una enorme uva y la lanzó a la cabeza de la avispa, que cayó atontada al suelo. Luego se agarró temblando a las antenas, apretó los ojos y despegó.

–¡Vamos, seguidme! –dijo, mientras todos saltaban a sus libélulas–. ¡Al condenado Reino de las Nubes!

Yo fui la última en despegar.

Bajo mis pies, la solitaria figura de la Dama se fue haciendo más y más pequeña.

–¡Hasta pronto, majestad! –grité–. ¡Adiós, Tartaruga!

Por suerte, Migu tomó la dirección correcta y supo guiarnos sin dificultad hasta el Reino de las Nubes.

Sin embargo, Ida opinó que, antes de aterrizar, debíamos inspeccionar el lugar. «¿Y si no es más que una trampa?», dijo. Todos aguzamos la vista.

Se trataba de una especie de esponjosa isla volante. Estaba formada por nubes de distintas formas y tamaños que flotaban unidas por pasarelas de vapor.

En la quietud de la noche, todas parecían desiertas.

¡Era un lugar tan mágico...!

—Busquemos el palacio del rey —dijo Bamba, muy segura.

El problema era que por allí no se veían palacios, ni casas, ni siquiera cabañas...

Solo en el centro, en un prado algodonoso, se levantaba lo que parecía ser una gran jaula. Tenía barrotes plateados y era alta como un torreón.

Tan pronto como aterrizamos, las monturas de mis amigos huyeron volando. Pobrecitas, estarían agotadas.

Avanzamos de la mano por aquella superficie elástica dando saltitos sin querer. La cosa me habría parecido divertida de no ser por el miedo que sentía.

–No se ve un cuerno –se quejó Koko–. A ver si amanece ya.

Justo entonces, el primer rayo de sol tocó la cima de la jaula. Y cientos de aves de colorines encerradas despertaron y empezaron a cantar.

Era tan bonito...

El sol descendió pajarera abajo y se hizo la luz. ¡Por fin veía las caras a mis amigos!

Y eran caras... ¡llenas de miedo!

¡Todo el prado estaba rodeado de niños sosteniendo lanzas plateadas!

Iban vestidos de la cabeza a los pies con trajes de plumas, tan vaporosos que parecían las propias nubes. Por eso no los habíamos visto en la oscuridad.

–Eh... Hola, amiguetes –dijo Kun, por decir algo–. ¿Cómo os llamáis?

Nada. Silencio.

–¿Por qué no contestáis? –se irritó Ida.

–Primero, porque no parloteamos con *mugrosas princésulas* ni con *vagabúndigos* –repuso una–. Y segundo, porque los nubos no tenemos nombre.

–Lo mismo que los tartarugos –murmuré.

–Cuánta *inculticia* –dijo otro–. Eso es como comparar un águila con una gallina.

«Ji, ji, ji», se burlaron todos. «Jo, jo, jo». «Ju, ju, ju».

–¡Silencio! –advirtió alguien–. ¡Ya llega el rey!

¡Y llegaba ni más ni menos que volando en su trono nube!

La verdad es que, para ser rey, me decepcionó un poco.

Iba todo despatarrado en su sillón y con la cara sucia de algo así como... ¿merengue?

–¡*Zaludoz, nuboz!* –masculló, arrancando un trozo de su nube y echándoselo a la boca.

Vaya, encima hablaba con la boca llena.

Sus súbditos, los nubos, dieron palmaditas para aplaudirle.

–¡Ah, si ya estás aquí! –sonrió, y me miraba a mí.

–¿Pe-perdone? –musité.

–¡El más bello pájaro de mi colección! –suspiró, acercándome su mano pringosa–. Creí que vendrías tú sola, pero no importa.

–¡Oiga! –se interpuso Rosko–. ¡Nosotros venimos a por nuestro cachorro!

–¿El dragón? Oh, estará por ahí, en la pajarera real... Ya tengo lo que necesito de él.

Entonces sacó de algún lugar de su nube el cetro del que ya habíamos oído hablar. Era realmente magnífico, de marfil y lleno de plumas de todos los colores imaginables. Apenas se distinguían, en una esquina, dos mechoncitos de pelo que me eran muy conocidos: uno blanco y otro multicolor.

–Ahora solo me falta un pájaro único en el mundo: ¡la princesa voladora!

De pronto, lo entendí todo.

No eran los cachorros lo que más le interesaba al rey. ¡Era yo!

—Bu-bueno —murmuré—. Si lo que quiere es un mechón de mi pelo, se lo daré.

—*Clado* que lo *hadaz* —dijo el rey, engullendo un nuevo pedazo—. Y también te *cazaraz* conmigo y te *quedadaz* en mi *deino pada ziempde*.

—¡No! —gritamos todos, hasta Migu, con su voz de pito.

—Humm... ¿Y qué haréis para impedirlo?

Entonces, Bamba y Koko decidieron hacer un movimiento de advertencia.

La princesa rosa lanzó una gran llamarada en dirección al soberano.

La princesa negra le arrebató la lanza al soldado más cercano y la ondeó sobre su cabeza.

Con su cetro, el rey les envió una pequeña tempestad que apagó el fuego y se llevó volando el arma como si fuera de papel.

Maravillados nos quedamos. Maravillados y despavoridos.

—¡Bueno! —se carcajeó el rey—. ¿Quién más quiere oponerse a mí?

—Yo —dijo una vocecilla—. Yo lucharé por la libertad de Nuna.

Había sido el príncipe Rosko.

«Ji, ji, ji», rieron los nubos.

Aquella mañana, el Rey Tormenta metió en su jaula siete pájaros más: tres princesas de colores, dos urracas bandidas, otro dragón y un príncipe tembloroso.

Al atardecer, Rosko tendría que batirse en duelo por mi libertad.

—¡Ni el fuego ni la fuerza sirven contra estos malditos barrotes! —gimió Bamba.

—Me ponéis enferma con tanta magia —dijo Ida, que trataba de dormir.

—¿Se te ocurre algo mejor? —gruñó Koko.

—Sí: que cierres el pico, cotorra.

—¿Y si te lo cierro yo, gallina?

—¡*Gachina*! ¡*Cokorra*! —dijeron Migu y Gumi, muy contentos tras su reencuentro.

Un torbellino de pájaros de colores bullía a nuestro alrededor. Las aves piaban, graznaban, revoloteaban, discutían... y apestaban. ¡Como que cada dos por tres dejaban caer un regalito desde las alturas! A mí me estaban poniendo perdido el vestido.

Mientras, los nubos nos observaban muy interesados entre los barrotes. Normal. Pues menudo espectáculo estábamos dando.

Sacudí la cabeza y me dirigí hacia Rosko. El príncipe estaba sentado en un rincón pintando una vieja armadura de colorines. Se la había dado el rey para que la decorase con su escudo de armas. Según él, así el combate a muerte resultaría más bonito.

Y yo pregunto: ¿desde cuándo es bonito matarse?

–¡Y ni siquiera tengo un escudo! –gemía Rosko.

–¿Y por eso lloras?

–¡No! Lloro porque si pierdo te perderé a ti, igual que perdí a mis padres...

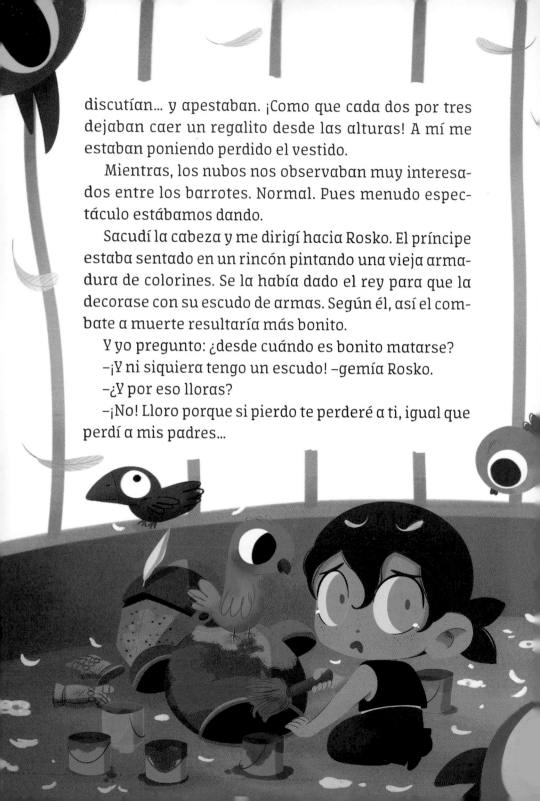

–¿Y si pierde él?

El príncipe se secó las lágrimas.

–Entonces, el rey nos concederá lo que pidamos. Y ganaré tu libertad, claro.

Ahí fue cuando me enfadé.

–¡Duendes, Rosko! ¿Te crees que soy un trofeo? ¿Algo que puede ganarse o perderse? ¿O es que piensas que soy incapaz de defenderme sola?

–Claro que no, Nuna, pero...

–Escucha con atención. Yo te diré lo que vamos a hacer.

Y lo primero que hicimos fue pintar entre todos la armadura. Entre garabato y garabato, les expliqué mi plan.

La situación era como de cuento.

Un reino en las nubes, una dama y dos caballeros que se la disputaban.

El combate comenzaría justo al caer el sol, pero ya mucho antes los nubos se agolpaban alrededor del prado.

A un lado del terreno, el Rey Tormenta. El escudo de su pecho mostraba dos relámpagos cruzados sobre un fondo de lluvia.

Al otro, el caballero Arco Iris. Habíamos elegido aquel nombre después de pintarrajear la armadura hasta en las plantas de los pies.

Como aquí arriba no hay corceles, los caballeros tendrían que luchar a lomos de nubes.

El Rey Tormenta subió a la suya. Era negra, espesa y anunciaba tempestad. Como un gran caballo bravo.

El caballero Arco Iris hizo lo mismo. La que él había elegido era más pequeña, inquieta y ligera. Como una yegua cargada de viento.

–¡Preparados! –grité yo.

Los caballeros colocaron sus larguísimas lanzas en posición y el público aplaudió.

–¡Adelante! –añadí y, tras espolear sus nubes, empezaron a cabalgar el uno hacia el otro.

Se acercaban más y más...

Agucé la vista. La lanza del caballero Arco Iris se tambaleaba. La del rey, en cambio, apuntaba directamente al corazón de su oponente.

Solo estaban ya a cinco metros de distancia. A tres. A uno...

El Rey Tormenta empuñó su lanza con fuerza, listo para embestir.

Yo quise cubrirme los ojos con la corona para no ver el golpe.

¡Entonces, de pronto, el caballero Arco Iris despegó y dio una pirueta en el aire!

Luego, desde allí arriba, golpeó al Rey Tormenta en todo el coco.

El villano cayó al suelo, inconsciente. Y yo eché a correr con cuidado de no pisarme el vestido de Nuna, que me venía grande.

¡Ah! Se me ha olvidado decirte... que soy Rosko.

Nuna me pidió que narrara este capítulo porque ella estaba tan nerviosa durante el combate que no se acordaba de nada.

Y es que el caballero Arco Iris, desde luego, era ella.

¡Se había ganado su propia libertad!

El Rey Tormenta despertó casi al atardecer.

–El caballero Arco Iris ha vencido –le informó Kun, guiñándonos un ojo–. Ahora, usted liberará a la chica y le concederá lo que pida.

Por suerte, y tras comerse medio kilo de nube, al rey se le pasó el disgusto. Entonces se mostró dispuesto a cumplir su trato:

–Bueno, vale… ¿Qué es lo que deseas?

«Oro», dijeron los bandidos. «Su cetro mágico», opinó Bamba. «Lanzas para todos», exigió Koko.

Pero yo miré de reojo a Rosko y dije:

–Por favor, llévenos al centro exacto del océano.

–Como queráis –murmuró–, aunque no entiendo… ¡Caracoles voladores! ¿¡Qué es eso?!

Nos volvimos y contemplamos algo increíble.

¡Una nube de insectos gigantes acercándose a toda pastilla!

–Son... son los tartarugos –murmuró Ida.

Y realmente eran ellos. Habían copiado nuestro sistema de viaje y llegaban a lomos de moscas, mosquitos, abejas y abejorros. El rey se puso más blanco que su traje.

La primera en aterrizar fue la Dama Verde. Y lo hizo frente a nosotros.

–¡Buenas noches, Ludo!

–Eh... –dijo él, incómodo–. Buenas noches, hermanita.

Un segundo... ¡¿Hermanita?!

—Sí —asintió la Dama, mirándonos con cara de loca—. ¡Yo soy Lana Tormenta!

—Entonces... —musitó Bamba—, ¿fue usted la que se rebeló contra la crueldad del rey?

—Ja, ja —se burló el rey—. ¿Contra mi crueldad? ¡Mi hermana y sus amiguitos se rebelaron porque querían el poder del cetro mágico! ¡No te fastidia!

—¡Así es! —rio Lana—. Y ahora venimos a recuperar lo que es nuestro. Estos tontos me han enseñado el modo de llegar hasta ti.

Los tontos éramos nosotros, fíjate.

Para animar la fiesta, nubos y tartarugos empezaron a insultarse y a blandir sus lanzas.

–¡*Vuelatontos*! ¡*Cursimemos*!

–¡*Grosérulos*! ¡*Analfabéticos*!

–¡A callar! –bramó el rey–. Hoy ya es muy tarde, pero mañana al amanecer nuestros ejércitos se enfrentarán en una batalla a muerte. Y los tartarugos serán derrotados de nuevo. ¿Me has oído, hermanita?

–Eso ya lo veremos, pequeñajo.

–Hala, a dormir –bostezó Koko, desnudándose para acostarse.

De haber sido por ella, este capítulo hubiera terminado aquí.

¡Pero no, porque yo no estaba dispuesta a permitir una guerra!

Aquella noche, todos nos habíamos acostado al modo de los nubos: en cálidas madrigueras excavadas en las nubes. Al día siguiente se libraría la gran batalla.

–¿De verdad no haremos nada? –pregunté, mordisqueando nerviosa un pedacito de nube.

–Son demasiados –negó Bamba–. No podemos controlarlos a todos.

–Lo más curioso –dijo Rosko– es que bajo sus trajes verdes o blancos, los nubos y los tartarugos parecen igual de locos, obedeciendo ciegamente a sus reyes igual que las hormigas. ¡Si ni siquiera tienen nombres!

Al oír aquello, los bandidos se guiñaron un ojo, como si hubieran pensado lo mismo al mismo tiempo. ¡A veces parecen tener telepatía!

–Si nos lo permitís –sonrió Kun–, nosotros nos ocuparemos de esto.

Luego se escurrieron muy callandito de la guarida. Pero yo me asomé a curiosear.

Y vi que ambos iban colándose, una por una, en todas las madrigueras de los soldados. Se arrastraban con la destreza y el sigilo de dos gatos.

Y de cada escondrijo sacaban algo y lo metían en su saco. ¿Pero el qué?

Al fin, después de una hora, regresaron a nuestro agujero.

¿Y sabes lo que apareció cuando volcaron los sacos?

¡Todos los uniformes de los nubos y los tartarugos!

Allí estaban, apilados entre sus brazos, un montón de armaduras, caparazones, capas emplumadas y brillantes ropajes.

–Hala –dijo Ida–, a ver cómo se pelean sin saber quién es quién.

Bueno, al menos aquello retrasaría un poco la guerra.

–Y todos estos trapos –objeté–, ¿dónde los escondemos?

–Yo conozco un sitio –gruñó la princesa negra.

Y, con su gran fuerza, los cogió todos de una vez y los sacó de la madriguera.

Al rato oímos el ruido lejano de un gran fardo de ropa cayendo al mar.

–Ahora sí –dijo Koko al regresar–. A dormir. Mañana nos despertarán los gritos.

¡Y menudos gritos! Como que a los pájaros de la jaula ni se les oía.

—¿Quién ha sido? —chillaba Lana a los niños que se desperezaban sobre el prado en paños menores.

—¡Venga, que cada uno se ponga junto a su tropa! —ordenó Ludo.

Los muchachos trataron de organizarse, pero enseguida empezaron las protestas:

—Esta no es de los nuestros —se quejaba uno del ejército tartarugo.

—Huy, qué mentira. Tú eres el impostor —decía la otra—. Yo soy *tartarúgula*.

—¡Si no sabes ni decirlo! Eh, *cursimemos*, ¿a que esta tonta es de los vuestros?

—¡Huy, que *grosérulo*! —respondió un nubo.

Por fin un niño, precisamente el de pelo rizado y os-curo que habíamos conocido en Tartaruga, se puso entre las dos tropas y chilló:

–¡Pues yo no sé si soy nubo o tartarugo! ¡Y no lu-charé!

–¡Ni yo tampoco! –decidió de pronto otra chica, po-niéndose a su lado.

«¡Ni yo!», «¡Ni yo!», «¡Y yo menos!», se les fueron uniendo muchos otros.

Era, sencillamente, que no querían la guerra. Lleva-ban tanto tiempo odiándose a ciegas que no recorda-ban ya por qué luchaban. Y todo por culpa de dos her-manos caprichosos apellidados Tormenta.

–¡Se rebelan, hermana! –bramó Ludo desde su nube–. ¿Qué hacemos?

–¡Yo te lo diré! –gritó Lana.

Luego, a la velocidad del rayo, se acercó a mi espalda y, ¡ay!, con un espantoso tirón, me arrancó un mechón de pelo. Después saltó a la nube de su hermano.

El rey anudó el mechón en su cetro mágico, que empezó a resplandecer.

–¡Os vais a enterar! –se carcajearon, mientras yo me frotaba, dolorida, la cabeza.

Entonces, agarrando el cetro entre los dos, comenzaron a agitarlo.

Y, tras un gran destello, su nube trono comenzó a bullir como el agua de un caldero.

A cambiar de forma.

A crecer y a oscurecerse.

A transformarse en algo distinto...

—¡Van a atacarnos a todos! —gritó el niño de pelo rizado.

—¡Princesas Dragón! —gritó Bamba—. ¡Toca transformación!

Agarrándonos de la mano, las tres corrimos hacia el abismo y nos dejamos caer.

Y, al regresar arriba, ya no éramos nosotras.

Éramos nuestro bello dragón tricolor.

—¡Subid! —ordenaron a los niños Rosko y los bandidos—. ¡Subid al dragón!

Poco a poco, nubos y tartarugos fueron trepando a nuestro lomo. Sentí su peso sobre mi espalda y sus manitas agarrándose a las escamas.

–¡Ya están todos! –nos avisó Ida–. ¡Volad, maldita sea! ¡Nosotros os ayudaremos desde aquí!

Y despegamos para alejarnos unos metros del peligro.

Solo entonces, Bamba se dio la vuelta para saber a qué nos enfrentábamos.

Delante de nosotras, una furiosa tempestad en forma de pajarraco agitaba sus alas.

Un pajarraco de nubes sobre el que cabalgaban los hermanos Tormenta.

Y que inmediatamente se lanzó sobre nosotras.

LA TEMPESTAD ALADA

BAMBA COMBATÍA CON FUEGO LA LLUVIA QUE NOS CEGABA...

... PERO EL VIENTO SE LO PONÍA DIFÍCIL.

YO BATÍA LAS ALAS PARA ESQUIVAR SUS RELÁMPAGOS...

CUANDO MÁS REÑIDA PARECÍA LA BATALLA, IDA Y KUN...

LANA Y LUDO, FURIOSOS, SE LANZARON EN PICADO HACIA ELLOS.

¡EL PÁJARO HABÍA QUEDADO ATRAPADO EN LAS NUBES!

ENTONCES, BAMBA COMENZÓ A ABRASARLO...

LAS NUBES SE DISIPABAN Y EL PÁJARO EMPEZÓ A DESVANECERSE...

... HASTA QUE SOLO QUEDARON LOS HERMANOS TENDIDOS EN SU NUBE.

Aterrizamos en el prado de nubes para que los niños descabalgaran.

Y, un momento después, volvíamos a ser nosotras mismas.

Con mucha precaución, nos acercamos a Ludo y Lana. Mira tú por dónde, dormían en su nuboso trono como angelitos.

–¡A la pajarera con ellos! –gritaron los bandidos, poniéndose manos a la obra.

Al hacerlo, el cetro cayó del trono y rebotó caprichosamente por las nubes.

Hasta aterrizar en las manos del chiquillo de pelo rizado.

–¡Carambacuernos! –exclamó, alejándolo un poco de sí–. ¿Qué hago yo con esto?

Los nubos y los tartarugos se encogieron de hombros.

–¡Santo Jabalí! –soltó Bamba–. El propio cetro ha elegido mágicamente a un sucesor.

–¡Ya estás con tu magia y tus chorradas! –gruñó Koko–. Ha sido casualidad.

Y ya iban a ponerse todos a discutir, cuando Rosko se adelantó.

–Amigos –voceó–. A pesar de ser príncipe, a mí no me gusta mandar. Cuando uno tiene demasiado poder, se vuelve egoísta y ambicioso. ¿No sería mejor que eligieseis un nuevo rey o reina cada año? Este niño podría ser el primero.

Y, por una vez, los nubos y los tartarugos estuvieron de acuerdo.

–¡Pues necesitará un nombre si quiere ser rey! –opiné–. ¡Todos lo necesitaréis!

Enseguida, todos se pusieron a gritar cómo querían llamarse.

«¡Origanda!». «¡Cucurruto!». «¡Mika!». «¡Mika yo también!». «¡No vale, *trampósula*!».

No tenían remedio. Mientras discutían, yo me acerqué al futuro soberano.

—Y dígame, majestad: ¿cuál será vuestra primera orden como rey?

—Yo... —dudó, pero solo un instante—. ¡Yo ordeno al cetro que nos guíe al centro exacto del océano!

Sobre las palmas de sus manos, el cetro giró y se orientó como una brújula.

Nos estaba mostrando el camino.

Qué final tan triste para una historia tan emocionante.

Tras viajar durante todo el día, llegamos por fin al centro exacto del océano.

Y allí... no había más que agua.

Sin acabar de creerlo, mis amigos y yo nos acodamos a la orilla del reino a contemplar el mar. Gumi y Migu treparon a mi cabeza para ver mejor.

Pero no había nada que ver. Ni una isla, ni un barco, ni un pueblo flotante. Nada.

–Quizá... –empezó Bamba–. Quizá el cetro se ha equivocado de lugar.

Todos callamos. La esperanza de encontrar a los padres de Rosko se desvanecía.

Igual que se desvanecía la luz mientras el sol se hundía tras el horizonte.

Y entonces, justo al atardecer, una enorme y vieja amiga pasó nadando bajo nosotros.

«Buen viaje, Tartaruga», murmuré.

Al menos, ya era libre.

Con un ruidoso chapoteo, la gran bestia se hundió en el agua.

Y luego, tras desvanecerse el rastro de espuma que dejaba, Kun gritó de repente:

—¡Mirad! ¡Allí abajo!

En el oscuro fondo marino había aparecido una lucecita dorada.

Y, según iba cayendo la noche, otras muchas luces empezaron a brotar alrededor.

–¡Una ciudad! –sonrió Koko–. ¡Una ciudad submarina!

La alegría volvió de golpe al grupo.

–¡Lo tenemos! –saltó Bamba, poniéndose en pie–. ¡Hay que conseguir otro barco! ¡No, equipos de buceo! ¡O un submarino! ¡Esperad, antes hay que dar una fiesta! ¡Majestad!

Corriendo, nos levantamos todos a dar la buena noticia a nubos y tartarugos.

–¿No vienes? –pregunté a Rosko, que seguía sentado–. ¿Qué te pasa?

–Bueno –dijo tratando de sonreír–. Es que, aunque allí abajo haya una ciudad o lo que sea, eso no significa que mis padres estén... a salvo, ¿verdad?

–No –susurré, sentándome de nuevo–. Pero significa algo muy importante.

–¿El qué?

–Que hay esperanza, Rosko.

Y, sonriendo, le apreté la mano con fuerza bajo el cielo estrellado.

Las PRINCESAS DRAGÓN

siempre están metidas en líos...
¡Y eso nos encanta!

Busca las pegatinas y colócalas para viajar a los Cuatro Reinos,
conocer un montón de criaturas mágicas y crear tus propios personajes.
¡Todo un mundo de fantasía te espera! ¿Te lo vas a perder?

Si quieres conocer todas sus aventuras,
visita LITERATURASM•COM